Blaise 3 en 1

Claude Ponti

Blaise 3 en 1

l'école des loisirs
11, rue de Sèvres, Paris 6e

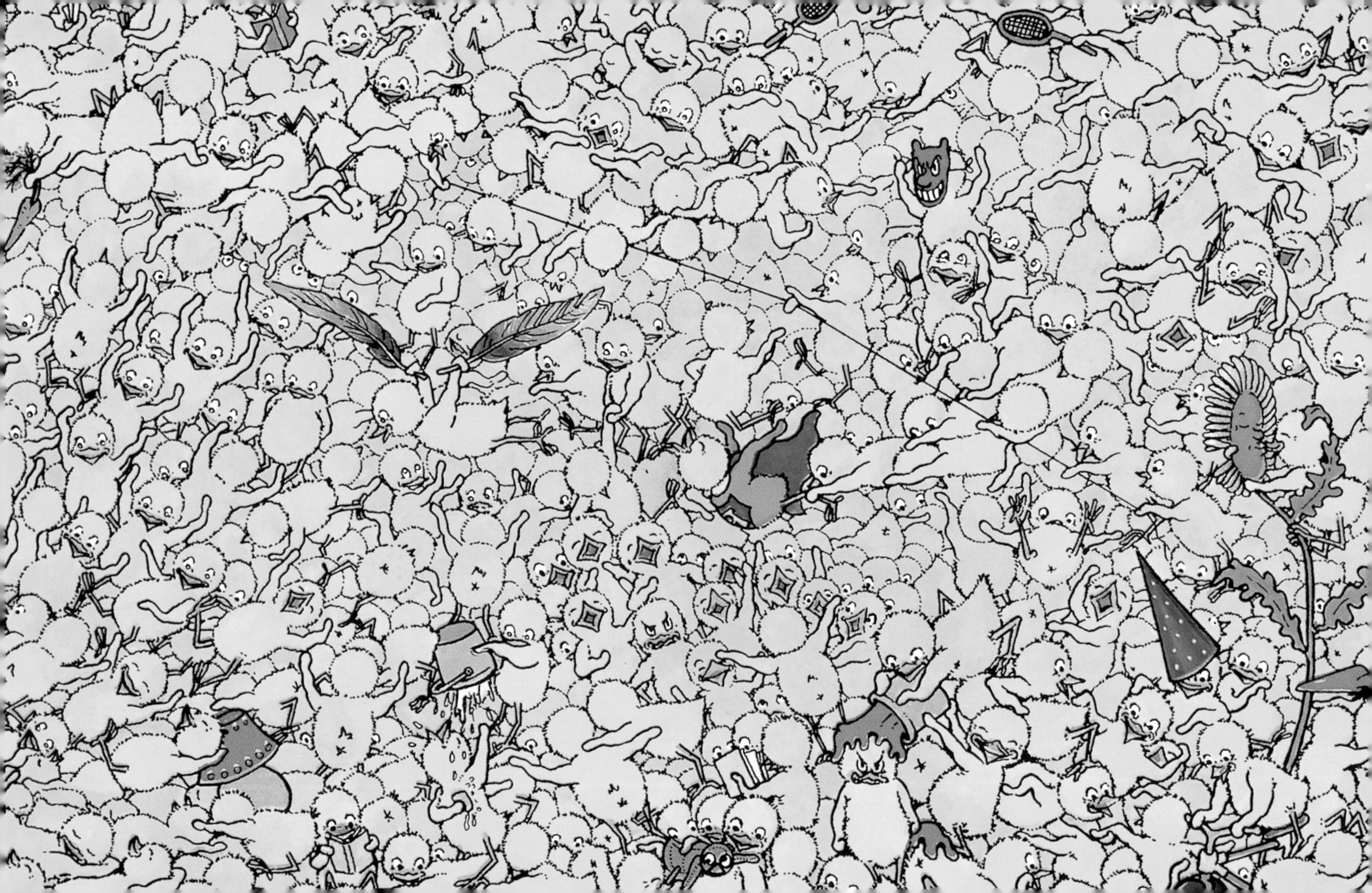

Blaise et la tempêteuse bouchée

Il y a une chose que Blaise, le poussin masqué, adore plus que tout…

C’est arracher le bouchon d’une tempêteuse bouchée bien mûre.

Surtout quand Onésime Virovent s'est endormi près d'elle.

Le vent s'échappe avec un grondement de tonnerre,

ça fait comme un toboggan dans l’air et Onésime s’envole, à peine réveillé.

Tout le monde file dans le vent, avec du rire et des frissons mélangés.

Onésime est un peu démonté. Il reste un rêve dans son œil droit.

Le vent est si fort que tous arrivent jusqu'à Olaf, le soleil.

Olaf attrape toute la bande et aussi Onésime en morceaux.

Olaf remet tout le bazar de crapules par terre et rebouche la tempêteuse.

Il est pressé, il a peur que le monde s'enrhume.

Les poussins ont un plan pour reconstruire Onésime. Un bon plan.

La tempêteuse ronronne et Olaf s'en retourne chauffer le monde.

Les poussins bricolent. Marguerite, la marguerite, creuse son trou.

Marguerote, l’autre marguerite, creuse aussi. Onésime attend.

Onésime est remonté n'importe comment. Il danse et il chante :

Je suis un Nain Porte Quoi ! Certains rient, d'autres se coiffent.

Blaise décide de faire autrement. D'abord avec le plan,

ensuite avec Onésime Virovent. Après, on verra.

Fatigués, tous s'endorment. C'était bien. Et même plus bien que tout.

Blaise dompteur de tache

Aujourd'hui matin, Blaise, le poussin masqué, organise une course de chaises.

Pour avancer, il faut faire VROUMMMMMMMM avec le bec et tenir le volant invisible.

Blaise a pris un faux Teuil, c’est mieux qu’une vraie chaise.

Plus on fait fort avec le bec, plus on va vite. Blaise est le premier,

juste derrière un poussin qui ne compte pas. De toute façon, il va le doubler.

Il y a *deux moyens* de s'arrêter : les freins et les copains qu'on rencontre.

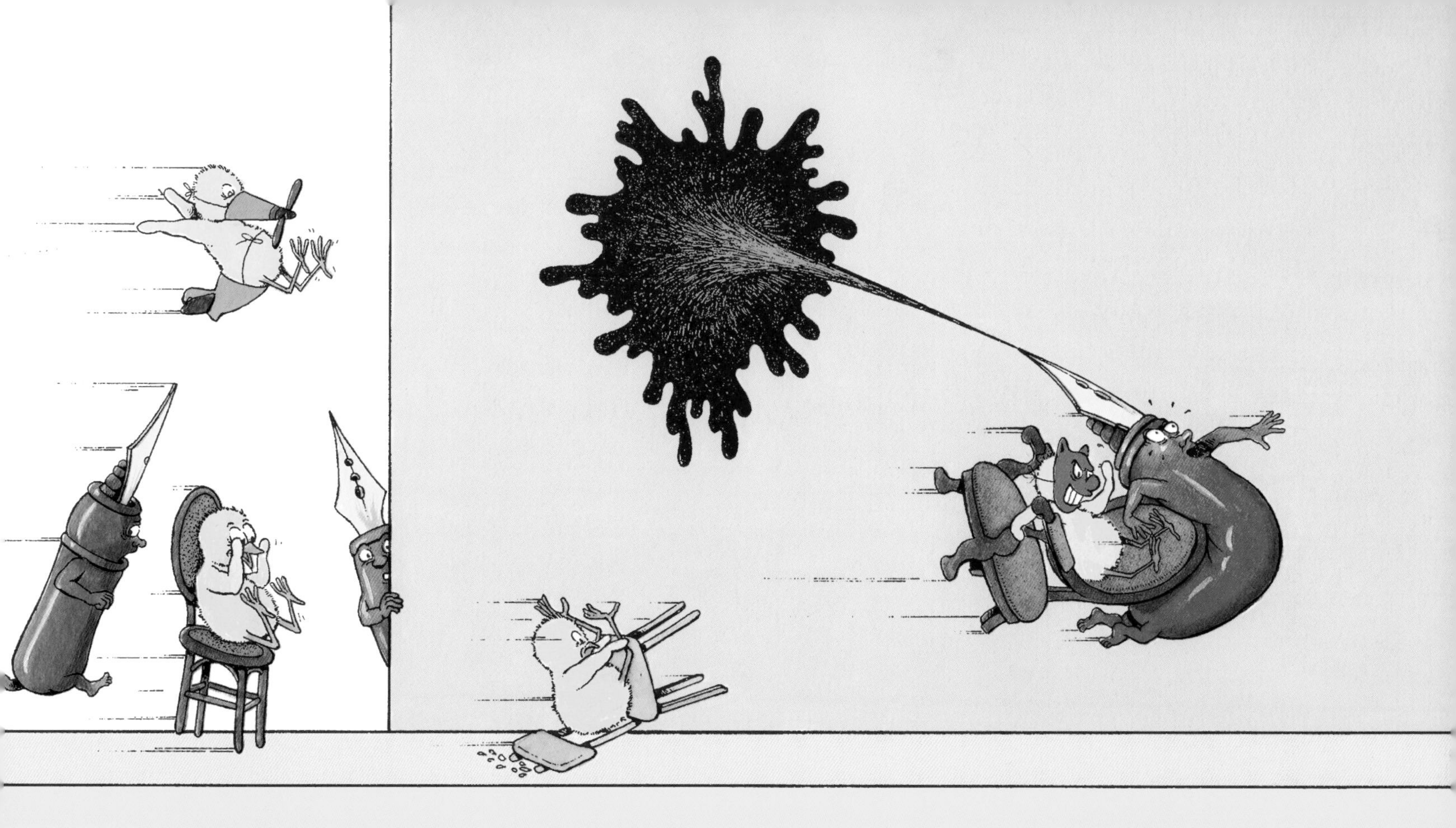

Hégésippe n'est pas *un moyen*, c'est *un grand* et un copain. Il arrête Blaise.

Hégésippe a fait une tache. Elle s’appelle Lellébore Lasphodèle.

Elle a un joli nom et un sale caractère. Blaise va la dompter. Ça fera un beau pestacle.

Si on pose les chaises d'une certaine manière, on peut aussi s'asseoir dessus.

C’est difficile, mais les poussins y sont arrivés. Blaise lève son fouet.

Au bout du fouet, il y a LA GOMME À DEUX COULEURS. Rose pour le crayon,

bleu pour l'encre. Ça, Lellébore le sait. Et c'est bien ce qui lui fait peur…

Hégésippe est encore bousculé, le poussin qui ne compte pas aussi.

Blaise est plus fort que tout. Lellébore Lasphodèle n'ose plus bouger.

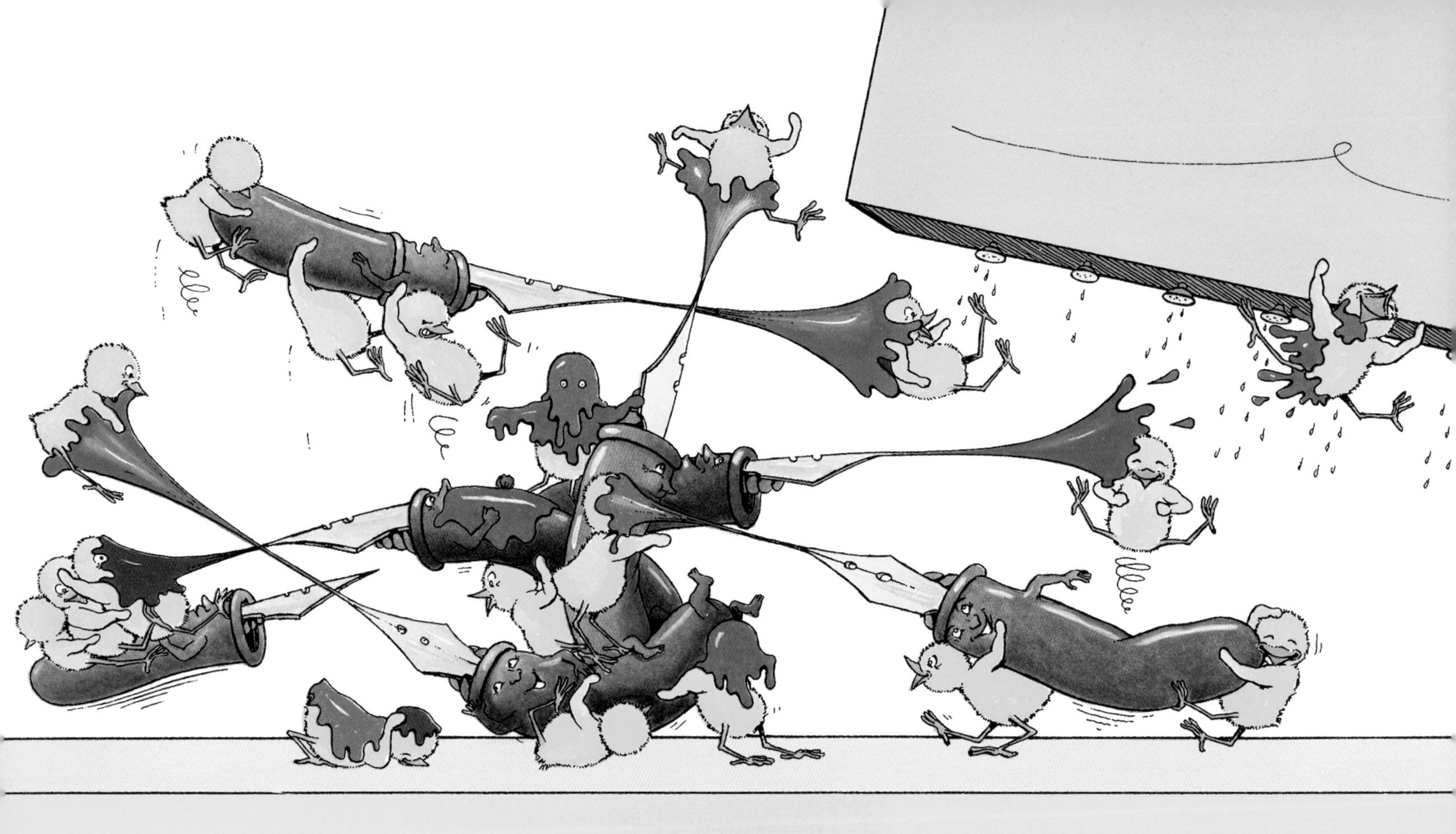

Le pestacle continue partout, de toutes les couleurs.

Pour ne pas être sali, le mur préfère s'en aller. Blaise est le maître de la tache domptée.

Toute la bande rigole, c'est la plus meilleure course de chaises du monde.

« En vrai, voilà comment on écrit oiseau », dit Blaise que personne n'écoute.

Il pleut juste ce qu'il faut pour faire beaucoup de mousse.

Par-ci par-là poussent des choses comme des parapluies et des boules.

Ça fait un bon petit coin pour attendre que les glaces finissent de pousser.

Blaise et le robinet

Blaise, le poussin masqué, fabrique un robinet pour jouer à la salle de bains.

Blaise veut mettre le poussin triste dans le robinet, pour que l'eau coule.

C’est une bonne idée et presque tout le monde est d’accord.

Le poussin triste est triste parce qu'il a un petit nuage

au-dessus de la tête qui lui pleut dessus. Sans jamais le quitter.

Une petite goutte de rien du tout tombe du robinet.

Une sorte de minuscule pipi de bébé fourmi, mais en plus riquiqui.

Blaise ne veut pas d'un robinet pareil. Pour jouer à la salle de bains,

il faut un vrai robinet, bien plein, qui met de l'eau partout.

Blaise décide d'aller plus loin. Les autres poussins le suivent.

Près d'une feuille, Blaise dit : « Je crois que j'ai vu un robinet. »

Des poussins posent le flacon de bain moussant, qui est très lourd.

Blaise grimpe sur les collines et s'approche d'un robinet joufflu.

C'est Niagara Tiboize, le meilleur joueur de salle de bains du monde.

Il se sauve en criant : « Attrapez-moi, je suis un robinet qui fuit ! »

Niagara Tiboize se laisse prendre. Il secoue les poussins

qui lui sautent sur le dos et plus il secoue, plus la salle de bains sera belle.

Blaise est content, le carrelage pousse à toute vitesse

et la mousse commence à faire des bulles roses exactement comme il faut.

Un troupeau de baignoires arrive par la fenêtre.

Le poussin triste regarde son petit nuage qui s'en va. Il est vexé, il y a trop d'eau par ici.

Blaise rigole sous les éclaboussures. C'est jamais trop, quand c'est bien.

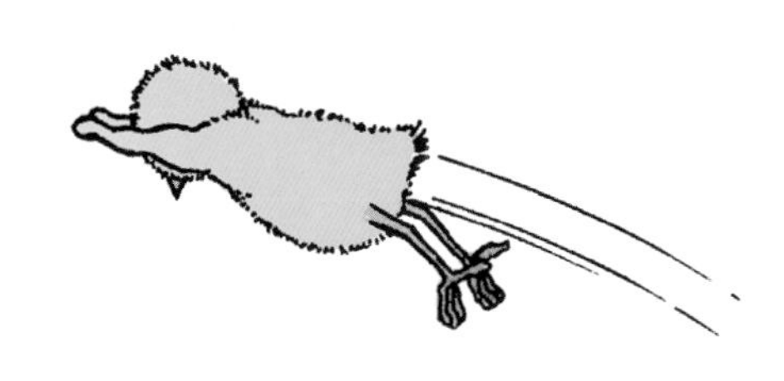

Loi numéro 49 956 du 16 juillet 1949 sur les publications destinées à la jeunesse : mars 2016
Dépôt légal : mars 2016
Imprimé en Italie par Grafiche AZ à Vérone
ISBN 978-2-211-22801-5

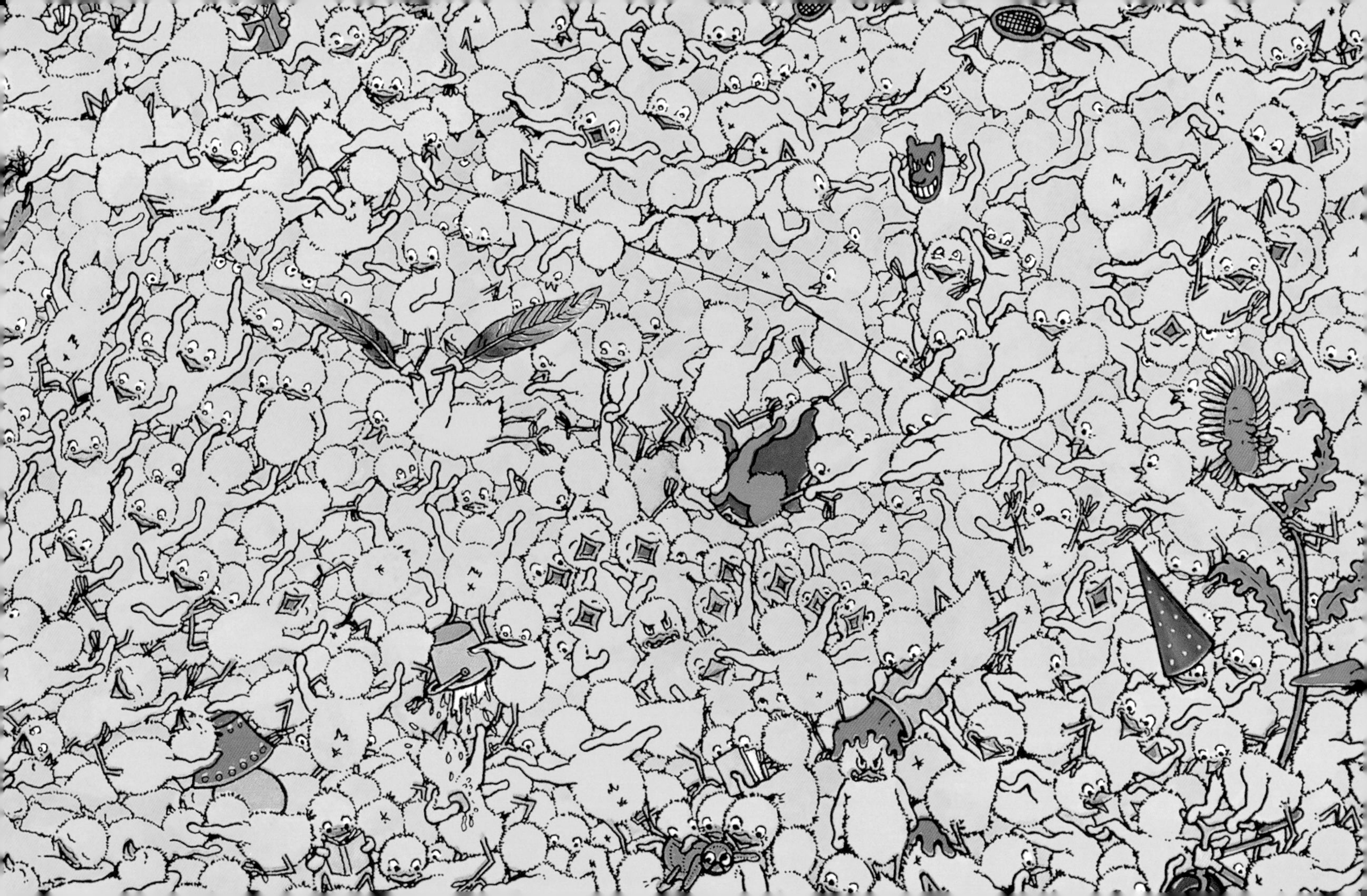